UNIVERSITY OF WALES SWANSEA
PRIFYSGOL CYMRU ABERTAWE
LIBRARY/LLYFRGELL

Classmark PS3552.A6M3 N36 2002

Location

Miner's Library

D0801026

Stanley H. Barkan
Стенли Х. Баркан

NAMING THE BIRDS
НАЗОВАВАНЕ НА ПТИЦИТЕ

Translated into Bulgarian by Vladimir Levchev
Превод от английски: Владимир Левчев

Illustrations by Stoyan Tchoukanov
Илюстрации от Стоян Чуканов

*Издателско
Ателие*

Cross-Cultural Communications
Общество „Алеко"
София / New York

2002

© Copyright for the English poetry
by **Stanley H. Barkan**, 1976, 1995, 1996, 1998, 2001, 2002
© Copyright for the Bulgarian translation
by **Vladimir Levchev**, 2002
© Copyright for the Foreword
by **Adam Szyper**, 2002
© Copyright for the illustrations
by **Stoyan Tchoukanov**, 2002
© Copyright for the photographs
by **Bebe Barkan**, 2002

The English originals in this edition were first published
in *The Blacklines Scrawl* (1976), *From the Garden of
Eden* (1995), *O Jerusalem* (1996), *Under the Apple Tree
/ Pod jablonia* (1998), and *Bubbemeises & Babbaluci*
(2001).

Editor-Publishers: **Ango Boyanov, Katia Mitova**

Bulgarian Paper Edition / ISBN 954-737-252-1
American Paper Edition / ISBN 0-89304-483-0
Cloth Edition / ISBN 0-89304-482-2
Limited Edition / ISBN 0-89304-484-9

American Poets Series   *Поредица американски поети*
(English-Bulgarian)   *(Английски-Български)*

Series Editor: **Vladimir Levchev**

Bulgarian-American Cultural Society ALEKO
547 S. Ingleside Avenue, Chicago, IL 60615 U.S.A.
Tel/Fax: (001 773) 667-5276
E-mail: kmitovaj@midway.uchicago.edu

Cross-Cultural Communications
239 Wynsum Avenue, Merrick, NY 11566-4725
Tel: (001 516) 868-45635 / Fax: (001 516) 379-1901
E-mail: cccpoetry@aol.com

Sofia / New York 2002

It was a man
who wrote the myth.

FOREWORD

There are two kinds of beauty. The first is heroic, revealing a mystic truth, climbing the peaks of the unknown, stretching the range of human experience.

The poetry of Stanley Barkan belongs to the other kind of beauty, the quiet one. There is nothing shocking in his verse. Constantly wearing the uniform of his ethnicity, deeply rooted in the Jewish experience, his poetry is not ethereal. Yet, this student of the Holy book, a lover of women and matzoh balls, in his simplicity shows us a great sense of humor, humility, and Talmudic wisdom. It is a joy to participate in his walk through the valley of life. In spite of the painful memories of his people, he speaks with infinite empathy to Adam and Eve, to birds of Paradise, and to all commoners sharing a moment with him. Thus, this sort of poetry belongs to everyone.

Stanley Barkan's perspective is a Jewish one, but the love song which he sings to the world is universal.

– Adam Szyper, 2002
Winner of the 2001 Best Book
of Poetry Award, Poland

ПРЕДГОВОР

Има два вида красота. Първата е героична, тя разкрива мистична истина, изкачва върховете на неизвестното, разширява кръгозора на човешкия опит.

Поезията на Стенли Баркан принадлежи към другия вид красота, тихата. Няма нищо шокиращо в неговите стихове. Постоянно облечена в униформата на своя етнос, дълбоко вкоренена в еврейската традиция, неговата поезия не е неземна. Да, този ученик на Светото писание, любител на жени и „матсох", в своята простота ни демонстрира голямо чувство за хумор, хуманност и талмудическа мъдрост. Радостно е да се участва в неговата разходка през долината на живота. Въпреки болезнената памет на неговия народ, той говори с безкрайна съпричастност към Адам и Ева, към райските притчи и всички простосмъртни, които споделят един миг с него. Така този вид поезия принадлежи на всички.

Перспективата на Стенли Баркан е еврейска, но любовната песен, която той пее на света е универсална.

Адам Шипер, 2002
носител на наградата
Най-добра стихосбирка за 2001 в Полша

FROM THE GARDEN OF EDEN

I. AS YET UNBORN

Oh to be Adam
again
with all his ribs
yearning for a woman
as yet unborn,
mouth free
of the taste of apples,
ears without
the hiss of snakes,
mindless of
nakedness and shame
in the garden
of gentle creatures
waiting for a name.

ОТ РАЙСКАТА ГРАДИНА

I. ОЩЕ ПРЕДИ ДА Е РОДЕНА

О, да бях Адам
отново,
с всичките си ребра
копнееш за жена
още преди да се е родила,
с устни свободни
от вкуса на ябълки,
с уши
без змийско съскане в тях,
незнаещ
ни голота, ни срам
в градината
на нежни същества,
които чакат име.

II. FIRST BIRTH

Covered with leaves
she rises out of the earth –
she first,
not Adam.
How much more likely
(more provable),
he from her pit
than she from his rib.
It was a man
who wrote the myth.

II. ПЪРВО РАЖДАНЕ

С листа покрита
тя се издига от земята –
първа тя,
а не Адам.
Колко по-нормално е
(и по за вярване)
той да е от нейната долина,
а не тя от негово ребро.
Мъж написа
песента.

III. CAT'S EDEN

Does man play with the cat,
or does the cat play with man?
                    —MONTAIGNE

When the first cat
crawled up on a rock
in Eden,
he cautiously considered
all the creatures about him.
Closing his eyes
at too much sun pouring
through the leafy overgrowth,
he licked his front paws,
rubbed his ears,
curled his tail around him
and purred:
"Well, this one I'll call 'Man';
that one 'Woman.'
Just right
for two pets
in my garden.
They will serve me
milk and catnip
and caress me
whenever I wish.
Now it's time to play
'Mouse & Cat' ...
On second thought,
after lunch."

III. КОТЕШКИЯТ РАЙ

Човекът ли играе с котката
или котката си играе с човека?
МОНТЕН

Когато първата котка
се изкатери на една скала
в Рая,
тя внимателно разгледа
всички същества край нея.
Притворила очи
срещу изобилното слънце,
което се изливаше през шубрака,
тя си облиза предните лапи,
потърка очи,
обгърна се с опашка
и замърка:
„Ей това ще нарека мъж,
а онова жена.
Има точно място
за два питомника
в моята градина.
Те ще ми сервират
мляко и котешки билки
и ще ме галят,
когато аз поискам.
Ето сега е време да поиграем
на Котка и мишка...
Или може би по-добре
след обед.

YOM RISHON

The first day opened
like an eyelid
sealed shut
by centuries of sand
blown by khamsin ...
Light only
the absence of dark ...
suddenly clouds
emptied the sky
and en sof burned
with supernal force ...
To see
infinity!
Yes, to suddenly know
something is there
coruscating
like millefiore
swaying in
the spring of days.
A seed suddenly
grows into a stem
and leaf and
bud and flower
and pollen
crossing over
from eye to eye–

ЙОМ РИШОН

Първият ден се отвори
като клепач
запечатан
от вековен пясък
довят от хансим...
Светлината е само
отсъствието на мрак...
Изведнъж облаци
изпразниха небето
и ен соф се възпламени
с върховна сила.
Да видиш
безкрайността!
Да, изведнъж да осъзнаеш,
че има нещо там
засияло
като стъкло милефиори
люлеещо се
в пролетта на дните.
Семе изведнъж
израства в стебло
и листа и пъпки
и цветове
и прашец
кръстосващ
от око до око –

buzzing at
the possibility
of honeyed streams
 bursting out
 of the startlingness
 of words–
 "Let there be light!"

жужащ
от предчувствия
за медени изпарения
избухващи
като птиците
на думите:
„Да бъде светлина!“

NAMING THE BIRDS

Tired of naming cattle & fish,
Adam turned to the birds.
"Raven," he said;
then "dove,"
prophetically,
these first creatures of the air
who'd be symbols in a later time
of rain and flood and rainbow.
Of the birds who would
sing at dawn and dusk
he had little interest;
so Eve decided to try
her onomastic skill.
"Nightingale," she whispered.
"Ibis, heron, flamingo,
parrot, peacock, tanager,"
mystery, grace, magnificence
of thought, motion, and design.
It took a woman
to properly name
the birds of Paradise.

НАЗОВАВАНЕ НА ПТИЦИТЕ

Уморен от назоваване
на добитък и риба,
Адам се обърна към птиците.
„Гарван" каза той,
после „гълъб",
пророчески,
тези първи въздушни същества,
които по-късно щяха да символизират
дъжд, потоп и дъга.
От птиците, които
щяха да пеят в зори и по здрач,
той не се интересуваше много;
така че Ева реши да опита
своя ономастически талант.
„Славей" прошепна тя.
„Ибис, чапла, фламинго,
папагал, паун, синигер,"
мистерия, блаженство, великолепие
на мисъл, движение и план.
Нужна е жена,
за да бъдат правилно назовани
Райските птици.

THE FRUIT OF THE TREE OF LIFE

Not apples
nor pomegranates
not limes nor lemons.
No–these are not
fruits of the Tree of Life.
Who know the secret?
Adam, who did the naming?
Eve, who may have been
given this lesser task
after Adam named
the birds, fish, and cattle?
But they didn't tell–or did they?
Was it passed down through Seth
(not a murderer)
but hidden in the Mea Shearim,
the kabbalah, the thoughts
of the Lamed-Vovniks?
Fruits, fruits–
somewhere the secret exists.
Do you dare to seek out the place
still guarded by the sword of cherubim?
Will you take and taste of the fruit
that even the serpent did not tempt to try?
Will you commit the last sin
and strive to become like gods?

ПЛОДОВЕТЕ ОТ ДЪРВОТО НА ЖИВОТА

Не ябълки,
не нарове,
не лимон или лайм.
Не – това не са
плодовете от Дървото на Живота.
Кой знае тайната?
Адам, който назоваваше?
Ева, на която може да е била дадена
тази по-малка задача,
след като Адам назова
птиците, рибите и добитъка?
Но те не казаха – или?
Дали бе предадено на Сит
(не на убиеца),
но скрито в Меа Шеарим – Стоте Врати,
в кабалата, в мислите
на Тридесет и шестте праведни?
Плодове, плодове –
някъде съществува тайната,
смееш ли да търсиш мястото,
все още пазено от херувимска сабя?
Нима ще опиташ плода,
който дори змията не се изкуши да опита?
Ще извършиш ли последния грях –
да се стремиш да бъдеш като боговете?

LOT'S INDIFFERENCE

Oh, how awful of Lot not to look back!
Did he care so little for wife & daughters?
He had lingered awhile after the warning,
accepting a small favor to flee to a little place;
why then did he push on so fiercely, obediently, cruelly—
mindless of duty to all that there was of his family,
listening only to the voice that called forth fire and
                                              brimstone?
Didn't he call to her—to see if she were still with him—
she who cooked and cleaned and mothered his children?
At what point did he know that she had not kept up?
Perhaps she was bitten by a snake, or fallen into a crevice,
or crushed by falling rocks, or set upon by wild beasts.
When did he learn that she, too, had lingered,
                                    had looked back
and was seared, turned into a pillar of salt?
No wonder he, in the hillside caves of his guilt, got drunk,
and then, in his cups—indifferent—took both his daughters,
vilely begetting brother-sons who would become a curse.
And so, neither Lot nor his wife, nor his daughters,
                                    nor all of his progeny
truly escaped the wrath God visited upon the twin
                                    cities of sin.

БЕЗРАЗЛИЧИЕТО НА ЛОТ

О, колко ужасно от страна на Лот да не погледне назад!
Толкова ли малко го интересуваха жена му и дъщеря му?
Той се позабави малко след предупреждението,
приемайки малката милост да избяга

на някакво малко местенце;
но защо тогава побягна така бясно,

послушно, жестоко –
без мисъл за дълг към семейството си,
слушайки само гласът, който повика огъня и сярата?
Не я ли повика – да види дали тя е още след него –
тя, която готвеше, чистеше и гледаше децата му?
В какъв момент той осъзна, че я няма?
Може би е била ухапана от змия, или е паднала в пропаст,
или са я смазали падащи камъни,

или диви зверове са я връхлетели?
Кога научи той, че тя също се е позабавила

и е погледнала назад
и е била овъглена, превърнала се в стълп от сол?
Не е чудно, че той в планинската пещера на вината си,

се е напил,
и в пияно безразличие познал и двете си дъщери
пораждайки синове-братя, които станаха

негово проклятие.
И така нито Лот, нито жена му, нито дъщерите му,
нито цялото негово наследие
избягаха наистина от Божия гняв посетил двата

греховни града.

MOSES TELLS ALL

You think
it took
40 days and nights
to inscribe
the Ten Commandments?
Actually,
it took
only
one day & a night;
it took
39 days and nights
to decorate
the letters.

МОЙСЕЙ КАЗВА ВСИЧКО

Мислиш,
че са трябвали
40 дни и нощи
да се изпишат
Десетте Божи заповеди?
Всъщност
са трябвали
само
един ден и една нощ;
трябвали са
тридесет и девет дни и нощи
да се украсят
буквите.

ARRIVAL

On the wings
of an eagle,
I arrive
in the ancient city–
pterodactyls
circle overhead
(in my head).

ПРИСТИГАНЕ

На крилете на орел
аз пристигам
в древния град –
птеродактили
кръжат над главата ми
(в главата ми).

THE CATS AND DOGS OF TEL AVIV

No dog will attack a cat in Tel Aviv.
At least not in some parts of town.
The cats go straight for the nose
—and that's it.
So, in some parts of town,
the cats and dogs howl at the moon,
if not in unison, at least
in an armored peace.
Some cats and dogs
learn to live together
—if not by choice,
then by necessity.

КУЧЕТАТА И КОТКИТЕ НА ТЕЛ АВИВ

Никое куче няма да нападне котка в Тел Авив.
Така е поне в някои части на града.
Котките ти скачат право на носа –
и това е.
Така че, в някои части на града,
кучетата и котките вият към луната,
ако не в унисон, то поне
във въоръжен мир.
Някои котки и кучета
се научават да живеят заедно –
ако не по избор,
по необходимост.

IMPERFECTIONS

"Sahw-i mahsus!"
say the Arabs.
"Only God is perfect."
Thus, the purposeful
flaw in the rug,
the kaffiyeh,
the woven robe,
the chador covering
the face of a woman.
Woman–flawed
by original error.
And what of man?
On the eighth day,
each male child is
marked in the foreskin
–a covenant–
and an imperfection.
For only god is perfect!

Sahw-i mahsus–the practice in
Islam of including a deliberate error
or flaw in embroidery or weaving–or,
by extension, anything creative–
because only God is perfect.

НЕСЪВЪРШЕНСТВА

„Саху-и махсус!"
казват арабите.
„Само Бог е съвършен."
От тук – умишлената
грешка в килима,
в кафийето,
в тъканата дреха,
фереджето покриващо
лицето на жена.
Жената – нарушена
от първородната грешка.
А мъжете?
На осмия ден
всяко мъжко дете
е белязано в кожата
– завет –
и несъвършенство.
Защото само Бог е съвършен!

FATHER AND SON

We are both old men and soon enough
I'll join you.

                –DAVID IGNATOW

As I grow older,
moving to "the best
that is to be,"
closer to the earth
from which we both
came, Father,

I grow to understand
your understanding
of me, your son,
I, father of my own son:

Forgiving everything,
forgetting nothing.

Oh, Father, how
you would smile
at me, a father,
forgiving and
understanding my son
–you and me in one.

Growing into myself,
the self that was you, Father,
that am I, Son,
that is your son to be
... that is us.

БАЩА И СИН

И двамата сме стари хора
и много скоро ще дойде при теб.
ДЕЙВИД ИГНАТОВ

С остаряването ми,
с придвижването ми към „най-доброто,
което съществува,“
по-близо до земята,
от която и двамата
дойдохме, Татко,

аз дорасвам да разбера
как ти разбираш
мен, твоят син,
аз, баща на моя собствен син:

прощаваш всичко,
не забравяш нищо.

О, Татко, как
ти ми се усмихваше
на мен, бащата,
който прощава
и разбира сина си
... ти аз сме в едно.

Дорасвам до своята същност,
до това, което беше ти, татко,
което съм аз, синът,
което е твоят бъдещ син
... което сме всички ние.

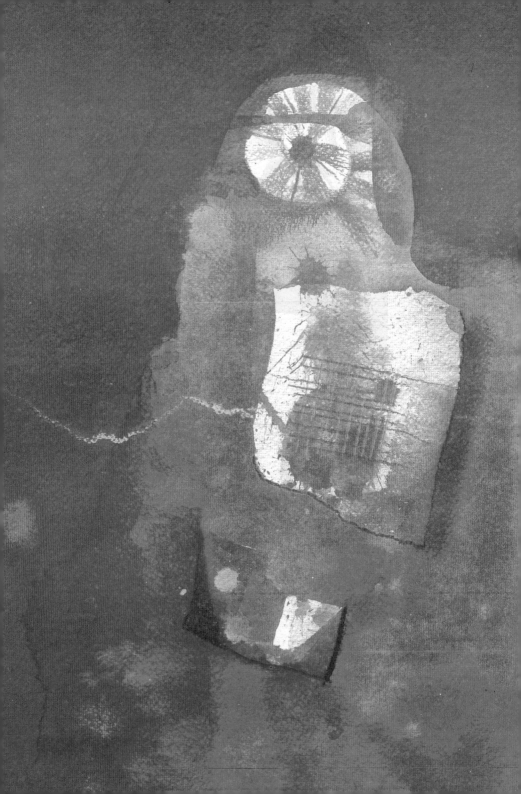

THE WORM IN THE BOOK

for Alfred Van Loen

"The worm crawled in
on page one-thousand-and-one
and left on page ten."

So it was written in pencil
on the top-left corner
of the title page
of the Book of Levi,
filled with fine line drawings
etched or engraved
on the pages of parchment
bound without glue.
The Dutch artist
of the continuous line
—like Brancusi's endless column—
pointed it out to me
as I held
with both hands
this incunabulum
of his family,
descendants of Moses,
whose stories had been passed down
from Sinai and Nebo
to all the children
descending to the valley of the Jordan,
crossing over in fulfillment of promises
—covenants made and broken—

ЧЕРВЕЯТ В КНИГАТА

на Алфред Ван Лоен

„Червеят допълзя
на страница сто и първа
и си отиде от страница десета."

Това бе написано с молив
в горния ляв ъгъл
на титулната страница
на Книгата на Леви,
изпълнена с изящни рисунки –
офорти или гравюри –
по пергаментните страници
подвързани без лепило.
Холандският художник
на непрекъснатата линия –
като безкрайната колона на Бранкузи –
ми го показа
както държах
с двете си ръце
тази старинна книга
на неговото семейство,
наследници на Мойсей,
чиито истории се предавали
от Синай и Небо
на всички деца,
които слизали в долината на Йордан,
в земята на изпълнените обещания
– завети сключени и нарушени –

told and retold,
inscribed and stitched together
–from time to time–
in books like this one.
But, somehow, always a worm in a page,
in an apple on a tree in a garden,
spoiling the linkages of millennia.

Let this epigraph by my epitaph:
"The worm crawled in ... and out again."

разказвани и преразказвани,
вписвани и съшивани
– от време на време –
в книги като тази.
Но, някак си, винаги – червей в страницата,
или в ябълката на дървото в градината,
разваля връзките на хилядолетията.

Нека този епиграф да бъде моя епитафия:
„Червеят допълзя... и си отиде.“

CLOUDS

Chagall clouds
floating over
village roofs,
chickens
large as houses,
Torah scrolls
rolling & unrolling
in the simchas
of Hasidic dance.
Silver rings of
medieval Jewish brides,
three-four inches high.
The top of a temple.
Open and there's
a bima with an aron,
a kiddush cup on a table.
Lift it,
drink it—
L'chaim!

ОБЛАЦИ

Шагалови облаци
летят
над селски покриви,
кокошки
колкото къщи,
свитъци с Тората
се навиват и развиват
в радостите
на хасидическия танц.
Сребърни пръстени
високи 8-10 сантиметра
на средновековни еврейски булки.
Върхът на храма.
Отворено е и там вътре има
бима с арон
за свещената книга,
чаша за кидуш на масата.
Вдигни я,
изпий я –
л'хаим – наздраве!

WOMAN OF MANHATTAN

O, woman of Manhattan,
you are my Kamala.

You teach me of olives
and cool wine.

You bathe my eyes
with musk and tamarind.

your hands are the flow
of waves and warm wind.

Your voice, the lure
of a thousand streetlamps.

I follow in your wake,
slaked by your white smile.

ЖЕНА ОТ МАНХАТАН

О жена от Манхатан,
ти си моята Камала.

Ти ме учиш за маслини
и студено вино.

Ти къпеш очите ми
с мускус и тамаринд.

Ръцете ти са течението
на вълни и топъл вятър.

Твоят глас е съблазън
на хиляда улични лампи.

Следвам те в твоето бодърство,
утолен от бялата ти усмивка.

INSECT LOVE

My eyes
crawl over
the flesh of my love
quivering with delight

The brush
of our legs
makes locust rhythms
in the night of candles
drawing us to their flame

We blaze
against the waxen stake
melted into semen ash

Then rise
phoenix moths
seeking for the light.

НАСЕКОМЕНА ЛЮБОВ

Очите ми
пълзят
върху плътта на любовта ми
трепещи от удоволствие

Четката
на краката ни
прави цикадени ритми
в нощта на свещите
които ни вписват в пламъците си

Ние се възпламенявяме
върху восъчната клада
разтопени в пепелно семе

После се издигаме
като молци феникси
търсещи светлината

AS STILL AS A BROOM

Love as still as a broom
leaning against a fireplace.

All the carpets swept,
all the ashes grated.

And the candles burned
down to the black wires.

And the windows frosted
starless, moonless.

No shoes under the bed,
no towel on the floor.

Only the crease in the pillow
and a smell I can't remember.

НЕПОДВИЖНА КАТО МЕТЛА

Любов неподвижна като метла
облегната на камината.

Всичките килими са изметени,
всичката пепел изстъргана.

И свещите са изгорели
до черния фитил.

И прозорците са заскрежени,
беззвездни, безлунни.

Няма обувки под леглото,
нито хавлия на пода.

Само гънката на възглавницата
и миризма, която не си спомням.

IMMORTALITY

(a "footnote" after Donald Lev)

I jumped off
the Brooklyn Bridge.
Twice.
But I failed—
I didn't die.
The Guinness Book of World Records
called me up,
said I should try again:
If I lived,
I'd set a record.
so I jumped a third time
and succeeded.
At last I've achieved ...
Immortality?

БЕЗСМЪРТИЕ

(„бележка под линия" по Доналд Лев)

Скочих
от Бруклинския мост.
Два пъти.
Но не успях –
не умрях.
От „Книгата Гинес на световните рекорди"
ми се обадиха
и казаха, че трябвало пак да опитам:
ако оживея
ще поставя рекорд.
Така скочих трети път
и успях.
Най-накрая постигнах...
Безсмъртието?

ABOUT THE ARTIST

Stoyan Tchoukanov ("Tchouki") was born in Sofia, Bulgaria in 1970. In 1988, he was graduated from The High School of Art in Sofia. In 1992 he specialized in copper engraving at the High School of Art in La Chaux-de-Fonds, Switzerland, and, in 1996, he earned his MFA (1996) at The National Academy of Fine Arts in Sofia. Since 1993 he has had twenty-two solo exhibitions – in Sofia, Plovdiv, Varna, Seprais, Wettingen, Crans-Montana, Basel, Geneva, Saint-Imier, Sorens, Brussels, Binche, Luxembourg – and more than fifty group exhibitions in Bulgaria, Holland, Switzerland, Slovenia, Japan, Macedonia, Serbia, Spain, Romania, England, Egypt, France, Germany, Slovakia, Italy, the USA, Poland, Belgium, UAE, *et al*. He was awarded the Grand Prix for Graphics, Third International Biennial *Art of Miniature*, Gorni Milanovać, Serbia (1994), the Honor Prize for Achievements in Graphics, Fifth International Triennial, Chamalier, France (2000), and several national prizes. Tchouki is currently working in the fields of painting, printing, murals, and book design.

ЗА ХУДОЖНИКА

Стоян Чуканов - Чуки е роден в гр.София, България през 1970г., където е завършил Националната художествена гимназия (1988) и Национална художествена академия (1996). Специализира бюрен във Висшено училище по изкуствата в Шо-дю-Фонд, Швейцария (1992). От 1993 е реализирал двайсет и две самостоятелни изложби в София, Пловдив, Варна, Сепре, Ветинген, Кран-Монтана, Базел, Женева, Сент-Имиер, Соренс, Брюксел, Бенш, Люксембург и е участвал в повече от петдесет групови изложби в България, Холандия, Швейцария, Словения, Япония, Македония, Сърбия, Испания, Румъния, Англия, Египет, Франция, Германия, Словакия, Италия, САЩ, Полша, Белгия, ОАЕ и др. Награден е с Гранд При за графика на Третото Международно биенале „Изкуството на миниатюрата" - Горни Милановац, Сърбия (1994) , Почетна награда за постижения в графичното изкуство на Петото Международно триенале в Шамалие, Франция (2000) и национални награди. Чуки работи в областта на живописта, графиката, стенописта и художественото оформление на книгата.

ABOUT THE TRANSLATOR

Vladimir Levchev is a writer, born in Sofia, Bulgaria in 1957. He has published more than ten books of poetry and two novels in Bulgaria. His first American book of poetry, *Leaves from the Dry Tree,* translated into English by the author with the Pulitzer Prize-winning poet Henry Taylor, was published in 1996 by Cross-Cultural Communication, New York. His second poetry book, *Black Book of the Endangered Species,* was published in 1999 by Word Works, Washington D.C. Since 1996, he has been teaching literature and writing at the University of Maryland (Baltimore County) and George Washington University (Washington D.C.). His poetry has appeared in many anthologies and literary magazines, including *Poetry* (Chicago) and *Child of Europe: The Penguin Anthology of Eastern-European Poetry.*

ЗА ПРЕВОДАЧА

Владимир Левчев е писател, роден в София през 1957г. Той има повече от десет стихосбирки и два романа, публикувани в България. Първата му американска стихосбирка „*Листа от сухото дърво*", преведена на английски език от автора и носителя на наградата „Пулицър" - Хенри Тейлър, е публикувана от издателство „*Крос-Кълчърал Комюникейшън*" в Ню Йорк през 1996 г. Втората му стихосбирка „*Черна книга на застрашените видове*" е публикувана през 1999 г. от издателство „Уърд уъркс", Вашингтон. От 1996 г. той преподава литература и писане в Университета в Мериленд, окръг Балтимор и Университета „Джордж Вашингтон" във Вашингон. Негови стихове са публикувани в редица антологии и литературни издания, включително списание „*Поетри*" – Чикаго и Източно-европейската антология на издателство „Пенгуин" – „*Дете на Европа*".

ABOUT THE AUTHOR

Stanley H. Barkan, born in Brooklyn in 1936, is the editor/ publisher of the Cross-Cultural Review Series of World Literature and Art. In 1976 and 1978, he represented the United States at the "Struga Poetry Evenings" in Macedonia, and, in 1987, he was one of ten American editors invited by Teddy Kollek to represent the United States at the Jerusalem International Book Fair. From 1990-91, he co-directed the International Literary Arts Festival at the United Nations, where he featured such literary luminaries as Isaac Asimov and Allen Ginsberg. In 1991, Poets House and the NYC Board of Education presented him with the PoetryTeacher of the Year Award. To date, his poems have been translated into twenty languages. In 1978, he was a Fellow of the Stichting/Amsterdam and was awarded a medal for his contribution to the arts in Sicily. In 1996, he received the Poor Richards Award from the Small Press Center "for a quarter century of high quality publishing," and his book *O Jerusalem* was presented in celebration of the 3000th anniversary of Jerusalem at New York City Hall by Major Rudolph W. Giuliani. His latest books include *Under the Apple Tree / Pod jablonia*, translated into Polish by Adam Szyper (Krakow, Poland: Oficyna Konfaterni Poetów, 1998), and *Bubbemeises & Babbaluci*, translated into Italian by Nina & Nat Scammacca (Trapani, Sicily: Coop. Ed. Antigruppo Siciliano, 2001).

ЗА АВТОРА

Стенли Х. Баркан, роден в Бруклин през 1936 г. е редактор/издател на поредицата за световна литература и изкуство „Cross-Cultural Review“. През 1976 и 1978 той е представял Съединиените Американски щати на Поетичните вечери в Струга, Македония и през 1978 е бил един от десетте американски редактори, поканени от Теди Колек да представят Съединените щати на Международния панаир на книгата в Йерусалим. От 1990-91 е съдиректор на Международния литературен фестивал в седалището на Обединените нации, където е представял литературни светила като Айзък Азимов и Альн Гинсберг. През 1991 е награден с годишната награда „Поетът-учител“ от Домът на поетите и Нюйорксият съвет по образование. До сега неговата поезия е преведена на двайсет езика. През 1978 е избран за „Fellow of the Stichting“ - Амстердам и награден с медал за принос към изкуството в Сицилия. През 1996 е получил наградата на „Poor Richards“ от „Small Press Center“ за „четвът век висококачествена издателска дейност“. Книгата му „О, Йерусалим“ е представена в сградата на кметството на Ню Йорк сити, по случай трихилядната годишнина на Йерусалим, от кметът Рудолф Джулиани. Последните му книги са „Under the Apple Tree/ Pod jablonia“, преведена на полски език от Адам Сципер (Краков, Полша: Oficyna Konfaterni Poetow, 1998) и „Bubbemeises&Babbaluci“, преведена на италиански език от Нина и Нат Скама-ца (Трапани, Сицилия: Coop. Ed. Antigruppo Siciliano, 2001).

CONTENTS / СЪДЪРЖАНИЕ

Стенли Х. Баркан   **Stanley H. Barkan**
Назоваване на птиците   **Naming the birds**

Първо издание   First edition

Превод   *Владимир Левчев*
Художник   *Стоян Чуканов - Чуки*
Предпечат   *Боян Алексиев*

Формат - 16/64/88
Печатни коли - 4

Тираж - 650

Печатница ANGO BOY
Тел.: (02) 981 06 12
e-mail:angoboy@abv.bg